建筑节能智能化技术导则
（试行）

中国建筑业协会智能建筑专业委员会
建设部科技委智能建筑技术开发推广中心　主编

中国建筑工业出版社

建筑节能智能化技术导则

（试行）

中国建筑业协会智能建筑专业委员会　　主编
建设部科技委智能建筑技术开发推广中心

*

中国建筑工业出版社出版、发行（北京西郊百万庄）

各地新华书店、建筑书店经销

北京红光制版公司制版

北京市兴顺印刷厂印刷

*

开本：850×1168 毫米　1/32　印张：2¼　字数：62 千字

2008 年 6 月第一版　　2008 年 7 月第二次印刷

印数：3,001—5,500 册　　定价：**10.00** 元

统一书号：15112·16836

本社网址：http://www.cabp.com.cn

网上书店：http://www.china-building.com.cn

编写人员名单

主 编 单 位：建设部科技委智能建筑技术开发推广中心

中国建筑业协会智能建筑专业委员会

主要起草人：赵哲身　龚延风　毛剑瑛　黄久松

徐　伟　汪　浩　王汝琳　梁苏军

杜晓通　敖顺荣　孙述濮　郑清明

刘　磅

统 稿 人：王汝琳　赵哲身　毛剑瑛

评 审 人 员：徐正忠　郭维钧

参 编 单 位：施耐德电气（中国）投资有限公司

中信国安信息科技有限公司

南京东大智能化系统有限公司

深圳太极软件有限公司

深圳达实智能股份有限公司

前　言

为贯彻落实国家建设资源节约型、环境友好型社会的指示精神，为了实施建筑节能工程，建设部已经颁布了建筑节能的相应政策法规。建筑智能化技术应用与建筑节能的关系密切，是提高建筑节能的重要技术手段之一，它在提高建筑设备运行效率、降低能耗和提高运营管理水平方面的作用是其他技术所不能替代的。

当前，建筑智能化技术在实际工程应用中的节能策略、方法、管理模式等还没有统一的标准规范。为了促使建筑智能化技术在建筑节能中发挥作用，以指导建筑设计单位、系统集成商、产品供应商及物业管理企业科学地实施建筑节能工程，我们组织了智能建筑行业的企业和专家编写了《建筑节能智能化技术导则》，力求对建筑节能工程的建设及管理起到指导作用。本导则为建设部 2007 年科研开发计划项目。

《建筑节能智能化技术导则》编委会
2007 年 11 月 2 日

目　录

1 总　　则

1.1　适用范围

　　建筑节能工程涉及建筑材料、围护结构、建筑设备及运营管理。因此，建筑物节能应贯穿建筑物的整个生命周期，包括规划、设计、施工、管理等环节。在建设阶段，建筑节能工程以建筑主体为主，多采用仿真技术，在此阶段，设备配置及控制的节能策略将为运营期的节能奠定基础；建筑节能的第二个环节是建筑设备的调试，采用建筑智能化技术进行调试及优化控制是关键；建筑节能的第三个重要环节是运营期，采用智能化技术提高科学管理水平，能大幅度地节省运营期的能耗费用。

　　虽然建筑围护结构和各建筑能耗设备系统的设计和节能是建筑节能实现的前提和基本条件，但建筑智能化技术在节能中的作用是不可低估和替代的。另外，在当前建筑节能工作中对具体项目的能耗计量、能耗诊断与评估、能耗监测等进行动态管理也需要智能建筑技术的支持。

　　在建筑运营管理阶段，对能耗设备各种运行参数进行监管，根据建筑各个空间实际需要实时地进行系统优化调控；根据需求适时对原智能化系统进行局部整改；分析运行数据库和能耗的关系，进行数据挖掘；定期评估设备能耗性能并加以改进，使各建筑能耗设备系统在不同工况下高效运行，实现进一步优化节能的目标。物业管理公司的智能化管理系统技术人员，在全面、深入地掌握智能化系统的同时要不断挖掘建筑节能潜力，创造经济效益。即使在节能方面已经取得成效的建筑物，仍然有节能潜力可挖。

建筑智能化技术还可支撑再生资源（太阳能热水、采暖、太阳能发电、地温热泵、沼气等）的利用和节能管理。

本导则将对建筑工程单位、设计单位、系统集成商、设备供应商和物业管理公司等的节能实施起到指导作用。正确运用建筑智能化技术，合理采用节能策略，进一步提高建筑节能效果是本导则的目的。

1.2 建筑节能工程现状

目前，建筑节能标准十分重视建筑围护结构和各建筑能耗设备系统的节能，但尚没有包括相应的建筑智能化节能部分。

以前建筑工程建设中业主很少强调节能，也没有足够的资金投入，导致建筑智能化系统投运后，几乎没有实现运行的优化，建筑运营管理也普遍薄弱，建筑智能化技术的节能策略和技术措施很少在工程中得以实现。其中主要原因有建筑工程建设的投资与长期运营管理脱节、暖通空调设备的设计与施工脱节、设备配置不合理、缺乏相应法规的配合和技术手段、某些设备质量存在问题等等。例如：过低的建筑物设备监控系统造价无法保障集成商进行反复调试和系统优化整改的成本；传感器普遍存在不准确的问题；暖通空调冬天设置温度过高、夏天设置温度过低等问题。由于没有相应国家政策法规的限制，很难彻底解决这些问题。

为此，特制订本导则，以总结经验，力求指导工程节能实践，为国家制定建筑节能智能化技术标准做准备，使我国的建筑节能达到更高的水平。

1.3 要点

本导则的要点：一是采用建筑智能化技术实现建筑机电设备

（包括空调、照明、供配电、电梯、给排水等设备）的优化控制，提高设备运行效率，以达到节能目的；二是采用建筑智能化系统集成平台实现切实可行的节能策略，达到精细管理的目的，不断挖掘建筑节能潜力，提升建筑节能管理水平；三是运用建筑智能化技术实现建筑能耗计量及设备能效分析的研究，为提供科学的管理策略以及制定建筑的节能标准提供更加科学的依据。

2 采暖通风与空调系统节能策略

采暖通风与空调系统节能优化控制的前提是要满足建筑物的使用功能，否则不仅失去了通风空调系统投资的意义，而且会引起建筑物居住者或使用者的不满。

另外，根据统计资料，自动控制系统即使是不够完善，但与手动控制相比，仍可以降低大约 10％以上的能耗。

2.1 空调负荷的设计

2.1.1 采用先进的空调负荷仿真软件

空调设计应采用先进的仿真软件，尽可能精确地计算逐时空调负荷，提供详细的计算书。应计算出各朝向房间一年中超过 28℃的天数，然后与建筑师、结构工程师一起进行优化，使超过 28℃的天数减少到最小值。

宜采用计算机仿真程序估计建筑物每年运行的能耗，并在建筑物建成后评估最初 12 个月运行的能耗。

2.1.2 尽可能减小正常负荷的安全放大系数

对空调总负荷，应在积累经验的基础之上尽可能减小负荷计算后放大的安全系数。在国内外冷热源的设计中，主辅冷冻机组规模设计过大是造成能源浪费的普遍原因。冷冻机容量选得过大，使能效降低，运行价格高，还会影响舒适，导致湿度过低、温度波动。冷冻机容量过大，导致附属设备费用增加，冷冻能力价格每千瓦 114 美元，冷冻机及附属风扇、输送管道费用每吨 3000 美元，冷冻机维护费也按吨位计，因而选择合理的冷冻机规模可节约维护费用。

2.1.3 对24小时的轻负荷必须独立设计处理

对24小时的轻负荷必须独立设计处理，故冷水机组设计宜选用大小搭配的方法，小冷水机组用于轻负荷，以实现节能。

2.2 集中（热水）采暖系统的节能控制设计

（1）集中热水采暖系统宜按南、北分区设置室温控制系统，其对应的集中热水采暖系统也应按南、北向分区供热原则进行设计和布置，以解决采暖建筑中普遍存在各朝向房间冷、暖不均衡的问题。

（2）集中采暖系统的热源宜根据室外气象条件自动调节供水温度。当采用换热器集中供热时，应配置二次侧供水温度自动控制系统，同样，二次侧供水温度设定值宜随室外气象条件进行有规则的变化。同时应综合考虑锅炉的热效率及使用寿命。

2.3 设备的选取

2.3.1 选取效率高的冷热源设备

空气调节与采暖系统的冷热源宜采用集中设置的冷水机或供热、换热设备。机组的选择应根据建筑规模、使用特征并结合当地能源结构及其价格政策、环保规定确定，采用在额定负荷和部分负荷下效率高的冷热源设备。

制冷机组选型时应根据容量大小尽量选择能效比高的机组，如螺杆式、离心式冷水机组等。吸收式溴化锂机组本身的能效比较低，但由于使用一次能源，综合能效比仍是较高的，且能解决电力负荷不能充分配置的场合的供冷和供热，目前也得到了广泛的应用。根据计算的负荷大小选择容量相匹配的机组，而不选用容量过大的主机。容量过大的主机不能全负荷运转，却会增加设备投资、浪费运转能耗。

2.3.2 空调机的选取

同样的，在选用楼层空调机时，也应选用合适的高效率空调系统，配置高效的风机。安装和调试时应注意解决空调机组的漏风问题。

2.3.3 水泵的选取

水系统应选择高效的水泵。设计时，应避免采用过大的水量安全系数，致使水量偏大，水温差过小；水泵扬程避免选配过高或采用过于保守的附加系数；当水系统实际水阻较小时，导致流量变大，严重时甚至会烧毁电机。

2.3.4 锅炉的选择

锅炉的选择及其额定热效率应符合《公共建筑节能设计标准》GB 50189—2005 的 5.4.3 和 5.4.4 条款的规定。锅炉的效率问题及其保障体系不仅对新建筑物很重要，而且对已建建筑物也十分重要。实际上，大量正在使用的旧锅炉的低效率导致能耗过大。一千万个使用年限已经超过 20 年的锅炉，它们的效率与新锅炉相比甚至要低 35%，把它们更换一下便可以获得 5% 的节能。提高锅炉的年总效率可以通过正确匹配锅炉和加热装置（散热器）来实现。根据气候、建筑物的规模和正确地选择锅炉的大小，应用自动控制装置，减小辅助设备的热损耗都可以提高锅炉的总效率。

（1）锅炉容量与实际用热负荷匹配合理。配置锅炉时，必须选用国家有关部门推荐的节能产品，禁止选用国家明令淘汰的锅炉及换能设备。

（2）应选取高效的换热设备。

（3）宜考虑和解决夏天锅炉效率低的问题。

2.3.5 温度传感器和流量计的选择

（1）在很多楼宇自控系统中，温度传感器选用了半导体热电阻，这给温度的标定带来了问题。由于半导体热电阻的电阻—温度值有一定的离散性，香港特区关于行政楼暖通系统和中央监控系统的规范中规定，半导体热电阻必须进行工厂标定。集成商称在现场进行标定的做法是不可取的，因为工程进度紧，他们常常不做，而且热电阻位于封装中，现场标定时周围干扰条件与实验室不一样，很难达到精确的结果。故推荐温度传感器多采用铂电阻产品。如选择半导体热电阻，必须附有出厂整定数据。

（2）在需要计算冷冻供回水温差和流量之积来确定冷源加减机控制策略的场合，为保证建筑物空调负荷的计算精度，供回水温度传感器应当选取误差为 $\pm0.1℃$ 的铂电阻，流量计宜选用精度为 $1\%FS$（满量程）以上的电磁流量计。

2.4 室内环境参数（温度、湿度、CO_2、新风量等）的合理设定

暖通空调自控系统应将建筑物室内环境控制在节能的参数状态下，室内环境参数包括室内的温度、湿度、新风量等，应合理设定。自控系统宜根据室外季节工况的变化，自动修订室内环境节能设定参数。

我国当前的建筑物室内温度常常存在夏天设定过低，冬天设定过高的现象，造成能源的大量浪费。因为冬天室内温度设定值每升高一度、夏天室内温度设定值每降低一度，将平均增加近 10% 的能耗。一些发达国家对夏季集中供冷、冬季集中采暖的建筑物室内温度常常作了限制，这是很有针对性的。推荐温度是夏天 26～28℃，冬季 18～20℃，远低于国内的室温标准。

为确保室内设定值的合理选取，建议国家制定相应的物业管理的强制性节能条款，以利于执行。

博物馆、档案馆、计量室、手术室等特殊建筑的特殊区域的室内温湿度设定值应严格按照规范的规定设定，过大的偏离设定值会导致能源的浪费。

2.5 空调系统的优化

2.5.1 送风系统和空调系统

（1）减少风系统阻力

送风系统优化内容之一是降低风道风速、减少系统阻力，降低风道风速仅与设计有关。一般欧美设计的风系统风速较高，日本则较多地采用低风速系统，此时减少风系统阻力则与设计、安装有关。

①与设计有关的因素

有的开发商为了增加建筑面积而降低了层高，导致风管高度变小，增加了风管内侧面积，从而增加了风的阻力。

风管在突缩过程中，锥度太大，即突缩太快，造成风的阻力增加。

设计不合理，在变风量系统中终端到出风口的软管长度太长。

②与安装有关的因素

变风量终端出风口的软管多次扭曲，有的甚至扭曲三次以上，导致风阻增加。

风管在安装时为避开圈梁，发生移位，人为增加了风阻；或者为了避开在变风量终端和风管之间的管道和桥架，连接风管采用软管。上述因素均应避免。

（2）控制性能的优化策略

为了优化空调系统各子系统的控制性能，必须对控制回路的比例、积分和微分参数（P、I、D）做现场调试，而且应当经过两年的反复调试和优化。目前大部分智能建筑对 P、I、D 参数不做调节的做法使水阀和风阀控制的静态误差大，动态响应时间长或不稳定，导致能源的浪费、执行机构的磨损。P、I、D（目前实际上只用到 P、I）参数调节可采用经验法，即 Zigler-Nichols 法。

（3）掌握空调各子系统对象模型

在掌握空调各子系统对象模型的基础上，可以快速地调试出各控制回路优化的 P、I、D 参数，故应鼓励研究和推广使用空调子系统的模型。

（4）应推广使用"需求能量极限限制法"

推广"需求能量极限限制法"可以大幅度地节约能耗。首先应分析电费、油费和水费等能耗账单的构成，对建筑物各部位、各设备的能耗做一个调查，对它的重要性做排序，分为五个等级。为此在各重要部位应做能耗的计量。每隔一段时间测量建筑物的平均峰值能耗，设定卸载荷值，当峰值超过卸载荷值时，即按优先级别先拉掉优先级低的载荷，提高（夏天）或降低（冬天）室内温度。在没有全面掌握建筑物的节能手段之前，甚至在掌握节能方法之后，这都是强制节能，实现节能目标控制的有效方法。

（5）借助自然环境

充分利用室外新风自然冷源，合理控制新风量，可大幅度降低冷热能源消耗，最大限度缩短冷水机组运行周期。

2.5.2　空调末端控制系统的优化

（1）强行限制温度面板的设定范围

考虑使用者为追求舒适，常常将室内温度面板的设定温度调到不适合处，宜利用建筑物设备监控系统的中央控制功能将温度面板的设定强行限制在临界值。如夏天最低温度边界值为26℃等。

（2）对部分末端风机盘管的控制

对于空调系统的末端设计为风机盘管的系统，一般为了限制设备的初期投入，风机盘管总是采用本地控制方式，独立于楼宇自控系统之外。但为了考虑节能，可将末端的控制连入楼宇自控系统。

为了节省初期投入，可以将大厅、会议室等没有人专门负责的地方的部分风机盘管连入控制系统。因为在这些地方常常没有人关闭空调终端，而导致无人时继续使用的浪费。在建筑物设备监控系统的设计中，会议室应设置移动传感器，大厅可设计下班时的强制关闭程序。

（3）对于以辐射采暖为主的高大空间，或装有冷吊顶板的空调房间，辐射温度对人体舒适度的影响比重加大，自控系统应根据辐射温度大小修正室内（干球）温度设定值，实现舒适与节能的最佳平衡。

2.5.3 变风量末端控制系统

变风量终端的串级系统宜反复调试控制参数，以缩短响应时间，目前响应时间过长是普遍存在的问题。

2.5.4 锅炉控制的优化策略

（1）合理平衡分配热量。当离锅炉远端空间热量不够时，应用平衡法合理分配热量，而不是采取增加循环泵的方法解决。

（2）锅炉供热分时分段运行技术。可采用锅炉各支路供热不同的运行方式、不同运行时间、不同供热温度运行曲线（分区、分时、分运行模式），实现用户各用热支路之间流量、温度的科学合理分配，减少水力失衡，解除远端冷、近端热的现象。

（3）多台锅炉的群控。实现锅炉燃烧机的全比例自动调控，包括出回水温度按天气自动补偿，一般都是由锅炉供货商进行。

（4）锅炉的最佳启停时间的确定，以减少预热时间。

（5）应对锅炉燃料用量进行实时计量。

2.6 冷源的群控

2.6.1 群控策略应用场合和方式

在建筑物配有多台冷水机组的场合，应采取群控策略。冷水机组的群控不仅可以获得非常可观的节能效果，而且可以极大地改善空调末端装置的自动调节性能。一般来说，机组有效率的负荷区段在其额定负荷的 40%～90% 之间，其最有效的负荷段在40%～80% 之间，随机组的不同而有所改变。群控可以使冷水机组工作在效率较高的工作点。

目前冷水机组的群控有两种方式：一种是由 BA 集成商根据

负荷和流量的大小，通过干接点控制机组的运行台数，或在机组供应商开放通信协议的条件下，由 BA 通过通信控制机组的运行；另一种是由冷水机组供应商实施机组的群控。从熟悉冷水机组的运行特性角度考虑，推荐由供应商实施机组的群控。

2.6.2　控制策略

在群控分配冷冻机负荷时必须考虑到多启动一台机组会增加一套冷冻泵和冷却泵，这些辅助设备的能耗大约占制冷机额定负荷的 10%～15%。所以，主机的节能要结合辅助设备的运行来综合考虑，要寻求所有设备的最佳节能配置，不能只考虑单台设备的能耗。

2.6.3　考虑综合能耗

传统的方法中冷却塔和冷水机是一对一的关系。将冷却塔并联分组运行可以获得低温冷却水。当有多台冷却塔并联并实现变频调节时，多台冷却塔应该同时运行，即在多台数、低功耗的工况下运行。

对离心式和螺杆式机组而言，冷却水温度越低，冷冻机的 COP 值越高。制冷系统冷却水进水温度的高低对主机耗电量有着重要影响，一般推算，在水量一定的情况下，进水温度高 1℃，主机电耗约增加 2%，溴化锂冷水机组能耗高 6%。为了保护冷水机组安全运行，冷却水的温度设有底限。冷却水温度偏低虽然造成冷却塔系统能耗增加，但从综合能耗看，却是节能的。群控系统应从全局考虑节能，分清系统中各设备能耗在全局能耗中所占的权重，抓重点，避免局部设备的能耗下降导致全局能耗的上升。

2.6.4　冷却塔系统的维护和控制

玻璃钢冷却塔在使用后期出现冷却效率降低，达不到规定的冷幅、噪声大、热交换管路内结了水垢，这些都严重影响了制冷系统的高效工作。

2.6.5　冷源系统的最佳启停时间的确定

目前冷热源的启动时间都是由物业管理人员根据季节和室外

温度人工决定的，不能精确预期合理的启动时间。由于预冷或预热能耗占全天能耗的百分之二十几到三十几，精确预测启动时间可以大幅度的节能，这一点必须引起工程技术人员的充分注意。由于我国公共建筑目前普遍存在用户随意开窗的现象，因而最佳启动时间的预测有相当的困难。

2.6.6 冷却水的处理

水垢热阻对制冷机性能影响很大，特别是对溴化锂吸收式冷水机组影响更大。国内外的实践证明，高频多段磁场能很好地对水质进行处理，因此，应提倡选用高频电磁多功能水处理装置。

2.6.7 建筑群能源中心管网供能模型的研究

目前在建筑群的供能中出现了由能源中心集中供能的设计，要认真研究管网合理的供能分配对节能的影响。

2.7 变风量、变水量技术运用

变风量的使用是为了在部分负荷的条件下将风系统的能耗降低到与空调负荷相匹配的最合理的状态。变水量的使用是为了在部分负荷的条件下将水系统的运输能耗降低到与空调负荷相匹配的最合理的状态。

两者都是通过量调节（变频调节）的手段，保证风、水回路上的各电动调节阀尽量不在低开度下运行，使风系统和水系统尽可能处于最小阻力状态。

2.7.1 注意运用中的问题与处理方法

（1）由于变风量终端普遍采用毕托管测试风量，在风速较低时精度很差，必须对每一个变风量终端在制造工厂进行整定，整定点数应当超过 3 点，最好 5 点，并将整定曲线输入到与其匹配的 DDC 控制器中。每一批抽样整定的方法是不可取的；每次整定只采用两点的方法也是不可取的。

（2）变风量空调系统调试时必须进行风平衡试验。

（3）应当研究变风量空调系统的变静压控制策略或总风量控制策略，和定静压控制方法相比，变静压控制策略多节能达29.6%，总风量控制能耗比变静压法略差，但比较容易达到稳定。

2.7.2 大空间建筑不宜采用变风量系统

大空间建筑由于人群的大流量，需要保证气流的射程，一般不宜采用变风量系统。

2.7.3 定水量技术

对于大部分时间处于部分负荷的建筑物，宜采用变水量系统。对部分负荷，水泵处于效率很低的条件下运行，定流量增加了水泵运行电耗。循环水泵的额定扬程如比实际工作扬程高，它还可能工作在过载状态。一般空调水系统的输配用电，在冬季供暖期间约占整个建筑动力用电的20%～25%；夏季供冷期间约占12%～24%。变水流量可以解决目前普遍存在的水泵的选型功率大于冷水机组的需要功率的问题。

（1）除了采用变频技术以外，循环水泵的最有效的节能办法是更换合适的高效循环水泵。

（2）变水量系统目前一般采用恒压差控制，宜采用最不利回路末端压差来控制，应合理地确定采样点；优化的方法是采用末端阻力最小控制。这时应将末端水阀的阀位信息反馈到控制系统中。

（3）对冷冻水泵有变频调节装置的冷冻水系统，应该尽量减少供水总管之间或分集水器之间旁通阀开启的机会，尽量杜绝供回水直接混合的现象。

2.8 暖通空调系统管理节能

（1）应充分注意物业管理的节能，如定期地清洗空调机的滤网、表冷器的翅片等。

（2）应定期对安装在新风管道内的温湿度传感器进行维护保

养和测量精度标定，室外污染严重的城市维护保养周期不宜超过3个月。

（3）中央通风空调系统应尽可能避免冷热抵消、除湿与加湿工况并存的现象。全年合理调节新回风比，冬季和过渡季应最大限度采用新风冷源，冬季尽可能避免使用制冷机供应的人工冷源。

3 供配电系统的节能设计与运行优化

在公共建筑中，电能是最主要的能源。但目前对供配电系统的节能设计尚未予以足够的重视，运行管理水平又较低，供配电系统本身的能耗比较高，这是一个应引起重视的问题。

3.1 供配电系统的节能设计

要做好智能建筑供配电系统的节能设计，应从需求调查、供配电方案确定、设备选型、监控管理系统功能选择等诸多方面着手。

3.1.1 需求调查

对智能建筑的供电需求及外部条件进行详细而尽可能切合实际的调查是正确进行智能建筑总体供电方案设计和实现节能的前提和基础。这些需求主要有：各负荷的性质及对供电可靠性的要求；各部门、系统和用户对负荷容量及电能质量的要求；供电局可能提供的进线电源状况；主要负荷的分布状况等。

3.1.2 确定供配电方案

确定总体供配电方案时，需要进行全面、综合的研究分析。在满足各种负荷对供电可靠性、负荷容量及电能质量要求的前提下，应考虑如何才能做到从设计、建设直至运行使用的建筑物整个生命周期的综合效益最好。因此，不仅要考虑建设时的一次性投入，还要计算今后几十年运行中所需的运行、维修费用的多少；不仅要有利于节能、节电和利用可再生能源，还要计算增加的投资和维修费用是否过多。对于供配电系统智能化程度的选择也一样，应综合考虑因供电可靠性、供电质量及供电系统的管理水平的提高所减少的事故停电损失、变配电设备能耗降低、设备寿命延长、人力节省和物耗减少带来的效益以及资金投入的增加等诸多因素。

在设计供配电系统时，具体应注意以下几点：

（1）应按照靠近负荷中心的原则确定供电系统的总变电站与分散配置的变电所、配电所的布置方案，以节省线材、降低电能损耗、提高电压质量。

（2）在选择供电系统的进线电压等级时应考虑负荷总容量、电能输送距离和供电线路的回路数等因素。负荷容量大，输送距离长，应提高供电电压等级以降低线路损耗。

（3）变压器轻载运行会造成空载损耗的比重增加和功率因数降低，使供电系统的电能损耗增加。而变压器的负荷率过高，不仅效率降低，损耗增加，还会缩短变压器的使用寿命。因此，设计时应确定合理的变压器负荷率。通常负荷率应在 $65\%\sim85\%$ 间，采用干式变压器时可取 $80\%\sim85\%$。

（4）设计时应合理调配负荷，尽可能减少三相不平衡度，以提高供电质量，并降低变压器和输电线路的额外损耗。

（5）感性负荷的存在会造成电网的功率因数过低，不仅占用电网容量，还使线损增加。在感性负荷集中的地方，应采用电力电容器作为无功补偿装置就地进行补偿。其他低压部分的无功功率应在低压配电柜中设电容柜进行集中补偿。高压部分存在的无功功率，则应在高压配电柜中增设高压电容柜来进行补偿。

（6）应进行谐波污染治理的设计。由于非线性负荷日趋增多，高次谐波的存在不仅影响供电的质量，还会造成输电线路及变压器等供配电设备损耗的增加，应该引起足够的重视。在非线性负荷集中的地方，应就地进行谐波的补偿。

（7）提高供配电系统的智能化程度。供配电系统的智能化程度越高则实现节能的效果就越好，相应的一次投资也会加大。有条件时宜采用电力能量管理系统，并实施对谐波的监控。

3.1.3 设备选型

设备选型时应尽量选用节能型产品，包括：

（1）变压器：空载损耗往往占变压器总损耗的 50%～60%，节能型变压器的空载损耗明显低于普通变压器，应优先选用。另外，应合理选择变压器的单台容量和变压器的台数。通常，采用多台小容量变压器供电所耗的空载损耗比只用一台大容量变压器小。

（2）电动机：应优选节能型的电动机。其次，选择异步电动机时，平均负载率应不小于额定容量的 70%，因为异步电动机的额定功率越大，负载率越高，效率和功率因数就越高（轻载时功率因数仅为 0.1～0.16 左右）。当电动机的负荷是风机、水泵时，特别当流量经常变化时，应采用变频调速器进行电动机调速。因为采用调速的方法时，流量减少一半，电动机的转速将降低一半，电动机输出的轴功率只是额定功率的 1/8。

（3）电缆：在智能建筑中，供电电缆的用量很大，合理选用电缆能较大幅度地降低电能损耗。目前通用的设计规范根据电缆所能承受的最高温度及安全需要来选择电缆的最小截面积。从节能的需要考虑，应在满足上述要求的前提下尽量选用电阻小的电缆，必要时适当加大电缆的截面积。虽然会增加一次投资，但将减少运行时的损耗。

3.1.4 管理节能

管理节能是节约用电的非常重要且行之有效的节能措施，供电系统的智能化设计时必须充分重视管理节能。

（1）进行全面的用电量监测是实现管理节能的前提。设计时应对每一个用户的用电量进行计量并纳入电力监控管理系统中，以便能自动、实时地记录每个用户的用电状况。

（2）应将电力监控管理系统与智能建筑的内部局域网相连接。通过内部局域网实时发布用电情况，使每一个用户都能及时查询自己和其他用户的用电和节能情况。当发现用电情况异常时，管理部门应通过局域网向用户发出提示信息和改进建议，防止出现长时间持续浪费电能的情况。

3.2 供配电系统的运行优化

在用电高峰时段，供电系统应采用两台变压器同时运行的供电方式，而到了用电低谷时只用一台变压器就够了。此时若不改变运行方式，变压器和线路的损耗将造成电能不必要的浪费。采用智能化程度较高的电力监控管理系统后，在监测到总负荷低于单台变压器容量的 80%（可根据具体情况通过软件设定、修改此限）时，监控计算机会在屏幕上弹出改变运行方式的提示并发出报警声。通常运行方式的改变由值班员决定并执行，也可按需要由电力监控管理系统自动执行。

4 照明系统的节能设计与运行优化

在公共建筑中，照明用电已占总用电量的 25% 以上。我国办公楼照明管理水平较低，大白天开灯办公和人走灯不关的现象严重存在，造成了很大的浪费。因此，在公共建筑中如何进行照明节能应引起我们的高度关注。

照明节能是一项系统工程，包括光源，照明器具，照明配电系统，照明控制系统的设计、施工、调试和系统的运营管理等等。在智能建筑设计阶段，应采用电气集成设计的指导思想，做好强弱电一体化设计，选择合理的照明控制系统，大量采用节能灯具，最大化地实现照明节能。

4.1 照明的分区设计

照明设计应针对照明空间的具体需求确定采用何种照明方式及如何进行照明分区。

4.1.1 分区设计要求

根据国家《建筑照明设计标准》第 3.1.1 条，应按下列要求确定：

（1）工作场所通常应采用一般照明；

（2）同一场所内的不同区域有不同照度要求时，应采用分区一般照明；

（3）对于部分作业面照度要求较高，只采用一般照明不合理的场所，宜采用混合照明；

（4）在一个工作场所内不应只采用局部照明。

4.1.2 采用相宜的控制策略

针对智能建筑照明的控制，应在分区设计的前提下采用相宜的控制策略。一般应考虑：

（1）公共建筑的走廊、楼梯间及门厅等公共照明场所的照明宜采用集中控制，要求不高的场合可考虑采用声音和红外控制，并按建筑使用条件和天然采光状况采取分区分组控制措施，便于节能。

（2）体育馆、影剧院、候机厅等公共场所应采用集中控制，并按需采取调光或降低照度的控制措施以达到节能。

（3）酒店的每间（套）客房应设置节能控制型总开关。

（4）大开间办公区应以合理的大小分区分组控制，分区中每个照明开关控制光源数不宜太多。对要求高的场所，每个分区可配置人体感应传感器和照度传感器，便于智能照明控制系统按不同分区进行不同控制。靠窗户一侧顶棚可安装照度传感器，当检测到照度低于某个值时开启本区域的灯以提供辅助照明；高于某个值则关闭相应的灯。有条件时宜设计自动遮阳和自动窗帘开闭以调节进入办公室的照度。

（5）大中型建筑可根据具体条件选用适当等级的照明控制系统，以进行智能照明控制和节能管理，并考虑适当的景观和泛光照明。

（6）对建筑群（如体育中心和展览中心）或大型社区，可在单个建筑独立照明管理系统的基础上再设置一级区域管理系统（AMS）。它综合利用各种照明设备，统一协调照明节能管理。AMS充分利用已有网络，能根据各个不同场所的特点实现细致的照明控制管理，在更大范围内节省资源。

（7）在建筑设计初期就应根据建筑功能分区进行照明系统强电设计和照明弱电控制系统的一体化设计，即电气集成设计。以避免出现照明强电回路的分区与照明控制系统无法适配的情况。

4.2 采用节能灯具

应根据不同场合选择应用各种不同的照明器具。概括起来从以下两个方面进行：

（1）照明光源和灯具的选择

光源的选择主要考虑因素为：光效、色温、显色指数、光源寿命和价格。《建筑照明设计标准》（GB 50034—2004）制定了直管荧光灯（双端）、单端荧光灯、自整流荧光灯、金卤灯、高压钠灯的能效限定值和节能评价值。规定的节能评价值是较高的能效指标，达到此值即被认定为节能产品。

目前建筑物景观照明的需求和能耗很大，设计时应注意选择节能高效的灯具和光源。

（2）照明灯具附属装置的选择

照明灯具必须配备附属装置，附属装置包括镇流器等。《建筑照明设计标准》也制定了直管荧光灯（双端）、单端荧光灯、金卤灯、高压钠灯的镇流器的能效限定值和节能评价值。

在以舒适为目的的基础上，选用具有节能功能的照明器具和附属装置，注意节能灯具与智能照明控制系统控制模块（采用继电器模块还是调光模块）的配套，对于能源节约能起重要的作用。在节能灯具的选择时应根据需要作有针对性的选择。

4.3 智能照明控制系统

智能照明控制系统是计算机网络技术和控制技术相结合的系统。特别适合于需要复杂场景照明的场合，如新闻广播、剧场舞台、会所等需要特殊照明功能的建筑。这些系统都采用总线通信方式，具有针对单个回路、回路群组、场景模式的设定和控制能力，控制方式包括开/关和调光。总线上可以设置照度传感器，人体红外感应传感器和声音传感器，系统也具有与电动装置（如电动窗帘和自动门）的联动能力。智能控制组态灵活，可实现各种复杂照明控制、调光控制、场景控制，且节能效果明显。

目前国内智能建筑市场上，智能照明控制系统使用的主要还是国外产品。从性价比角度考虑，智能建筑一般还是宜采用 BA 系统对公共照明进行控制和管理。但 BA 系统一般只能起到对照明系统集中控制、定时开关控制的作用，对于要求较高的、需要特殊情景照明的场合，为了达到更好的控制管理和节能的效果，建议采用专门的、基于网络的智能照明控制系统。

智能照明系统的控制方式和系统功能为：

（1）定时开关控制（室外环境照明，公共区域照明）；

（2）人体传感器感应控制（小型会议室，大开间办公室区域控制）；

（3）根据室外光源照度的减光控制（多功能厅，大开间办公室）；

（4）多种模式的场景控制（多功能厅，大会议室，外立面照明）；

（5）智能照明系统的运营管理和节能决策分析。

智能照明系统与 BA 系统联动可综合考虑照明系统、空调系统、窗帘遮阳的联动控制，以得到舒适的环境和最大程度的节能。智能照明系统与建筑物能量管理系统（BEMS）和物业管理系统集成，便于物业管理部门进行实时管理和考核，进一步提高节能效果。对于建筑群或大型社区，可在单体建筑照明控制节能管理系统基础上设置上一级区域管理系统（AMS）平台，综合利用各种照明设备，统一协调进行照明节能管理。

要重视智能照明系统的运营管理。运营管理覆盖了照明控制系统寿命的全过程。智能照明系统建成后，应根据 BEMS 的运营数据，分析照明系统的能量信息，反复改进编程、设定、操作和维护，以实现照明节能效果的优化。

5 电梯系统的节能

电梯系统属国家特种设备管理，在工程建设中由建筑设计院负责设计，电梯厂商提供深化设计、设备安装调试和运行维护管理。建筑智能化系统对电梯系统只监测运行状态（即只监不控）。按照国家建筑节能的有关规定，电梯系统也有很大的节能潜力。

5.1 选用电梯本身是节能设备

宜选用采用节能装置（如永磁同步曳引机、可变速电梯、具有能量回馈装置等）和具有开放协议接口的电梯，电梯系统应具智能群控管理系统与远程监测维护功能。

5.2 根据不同梯型确定电梯运行模式

不同梯型（垂直升降梯、双向升降梯、手扶梯）和运营需求采用智能技术进行实时调整电梯运行模式。

5.3 根据不同类型建筑使用功能制定电梯工作模式

根据人流变化进行优化管理，尽可能提高电梯使用效率。

6 系统集成与运营管理

6.1 概述

建筑智能化系统不是各子系统的简单堆积。系统集成为管理者提供了现代化管理的平台，使投资者能得到最大的回报。本节强调采用系统集成的手段，构建能源信息通信平台，建立建筑物能效综合管理系统，达到管理节能的效果。

目前国内和国外的系统集成产品很多，但技术上重视集成的拓扑结构和计算机网络技术，忽视集成系统的实用性，特别是节能功能，这一点必须得到极大的重视和改进，建立建筑物能效综合管理系统是当前建设智能建筑的重要任务。

6.1.1 关于 BMS 与 IBMS

（1）BMS 可以理解为建筑设备集成管理系统，实现建筑物设备监控管理子系统、安全防范子系统和消防子系统之间信息资源的共享和管理，各分散子系统之间的互操作、快速响应和联动控制，达到自动检测和控制管理的目的。BMS 体现了建筑的共性，容易实现标准化。

（2）IBMS 是建筑设备管理系统与信息管理系统的集成，通过系统集成，构建一个便于使用、管理和维护的高效服务的应用平台。通过综合应用，能充分发挥不同厂家产品和技术的优势，达到便于物业管理、增效节能、降低投资和运营成本的目的。由于各种类型建筑及功能需求的不同，信息管理系统内容差别很大，因此这是体现建筑物使用个性的集成，难以标准化。

6.1.2 系统集成的规划原则

规划时应遵循标准化、开放性、可维护性、可扩展性、高可靠性、先进实用以及节能的原则。在实施过程中，应采用统一规划、分层次集成、分步实施的原则。

6.2 集成管理系统的构成

6.2.1 智能建筑管理系统的层次

智能建筑管理系统应该有子系统层、信息汇集层、集成管理控制层、应用层等四个层次：子系统层包含了建筑需要的最基本的各个专业智能化子系统，如建筑物设备监控管理系统、消防系统、安全防范系统等等。还应该包括建筑物内的其他智能化系统，比如多媒体会议系统等。

（1）信息汇集层由各个子系统与集成系统之间的接口所组成，完成被集成信息在集成系统中的汇集。集成系统应具有对建筑物内暖通、给排水、变配电、照明等各类耗能设备的使用和管理信息的准确采集，完成传输、交换、存储、检索和显示等通信功能，确保能源信息的互联和畅通；集成系统应具有按需要建立相关能耗信息实时数据库的能力，以为能耗的优化使用创造条件。

（2）集成管理控制层用来对汇集的信息进行基本的处理与加工、管理和存储，应能提供各种能耗和相关参数的动态曲线或综合报表。

（3）应用层是集成系统架构管理功能的地方，对搜集的子系统信息进行数据挖掘、事件决策与控制、相关的管理和联动控制。

（4）集成系统是建筑舒适、节能、安全管理功能的延伸，依据初始设定的整体建筑节能策略，协调下层各个子系统来实现更高级的管理功能，同时不断优化系统功能和节能的策略。在提供舒适安全的环境的前提下，优化系统功能和挖掘节能的潜力，是集成系统这一层的主要功能之一。

6.2.2 接口管理

接口管理有三部分内容：控制信息接口管理、数据库互联接口管理、图像传输接口管理。

（1）控制信息接口管理

控制信息接口是指子系统与上层集成系统之间传递信息点与控制命令的接口，负责由子系统向集成系统传递子系统信息，及从集成系统向子系统传递的控制命令。由于接口分为子系统向上的接口和集成系统向下的接口，因此在子系统和集成系统都有对接口的管理。虽然向上和向下的接口不同，但接口管理的内容基本一致，即对接口和信息点的使用权与授权管理，其内容如下：

①子系统/集成系统接口的开放/关闭；

②子系统允许向上提供的信息点管理；

③子系统允许集成系统控制的信息点管理；

④集成系统允许从子系统获得的信息点管理。

要在工程上成功实现控制信息接口管理，需要在机电设备的合同签订阶段就对它们和楼控系统的通信提出明确的要求和界定。

（2）数据库互联接口管理

数据库互联接口是指子系统数据库与集成系统数据库之间的接口，负责建立子系统与集成系统数据库之间的联系并传递信息。由于可能涉及到异构数据库之间的互联，因此接口实现和管理比较复杂，会涉及到对象数据和关系数据之间的转换及中间件技术等。建议采用标准、开放的接口协议。

（3）图像传输接口管理

数字图像传输基于 TCP/IP 或专用协议。图像传输接口主要完成子系统与集成系统之间数字图像信息的交换，需要完成不同图像格式之间的转换、图像压缩比变换、图像连接建立和撤除、源图像地址和目的图像地址识别与包数据传递和拼装等管理功能。

6.2.3 数据库

在计算机技术、网络技术、数据库技术、现代管理理论飞速发展的今天，计算机领域的管理经历了电子数据处理系统、管理信息系统和目前正在发展和应用的决策支持系统的历程。决策支持系统也从简单的（数据库、方法库）二库形式，经过三库形式，发展到目前的四库形式（数据库、方法库、模型库、知识库）。

6.3 集成与节能管理

集成管理是智能建筑管理系统最基本的管理功能，它的前提是能够通过接口从子系统获得信息。

6.3.1 能源管理

一个建筑物的运营管理成本及能源消耗占建筑整个生命周期成本的 70%。与手工管理相比建筑智能化系统能耗管理，无论在深度与广度、数量与质量上都是一个飞跃。建筑智能化系统能耗管理的主要内容有：

（1）建筑物能耗数据指标体系的建立，能效指标的选定与确认。

（2）建筑能耗数据的实时、准确的自动采集、记录与存储策略。应建立冷热源运行参数和状态、电力系统能耗管理数据（各用能设备的实施能耗：有功功率、无功功率、视在功率、功率因素）和楼控系统的集成实时数据库，用于能耗的优化。

（3）实时分类分级建筑能耗数据、图表的动态观察、分析与记录，能实现不同计量单位的转换。

（4）根据建筑物、各区域、时段等需求，进行能耗时报、日报、月报、年报数据组织与图表的生成输出，同期能耗趋势图的生成和比较。

（5）建筑能耗历史数据的存储、查询、分析、统计和比较。具有向能源管理部门和使用部门定期发送报表的功能。

（6）建筑能耗与能效数据的经济分析与评估。利用楼宇自动化系统与管理信息系统集成方式，建立各类耗能过程的数学回归模型，确定最佳控制状态参数和运行策略，达到能源精细管理。

（7）根据建筑物内外环境（包括气象条件、供能质量、系统负荷、系统工况）的变化，在满足系统功能要求的前提下，实时自动调节各设备系统的工作参数，优化设备控制模式，提高设备能源转换效率，实现节能经济运行。根据信息系统提供的人流情况，自动对空调及照明系统设置各种"节能模式"。

（8）能耗的预测，削峰填谷，控制负荷；通过同期能耗的比较发现存在的问题，并实施耗能设备的整改。

（9）加强物业管理手段实施节能。如根据集成数据确定合理的空调滤网和翅片的清洗时间，可以大大减少能耗费用。

（10）能耗计量器具的定期检定与维护，保证能量计量数据精度，保证各用能系统工况最佳。

（11）建立完整的能源管理体系，并经过运营管理不断及时优化能源调度管理体系。

（12）建立突发用能事件的应急预案，避免用能系统性能永久性损害的发生。

（13）建立运营处罚管理制度。

（14）系统应具有用户自行的二次开发功能。

6.3.2　合理的联动控制管理

跨子系统的联动控制是在上层的集成系统实现的，联动管理的主要内容是对联动关系设定和联动条件的管理。

通过设定联动条件，集成系统检测引起联动的子系统的原联动信息点的变化是否符合条件，然后决定是否输出控制命令，让被联动子系统的目的信息点按设定值变化，从而驱动现场设备进行联动。

联动关系的确定与接口管理有一定的关系，这是因为联动的输出必须有接口开启授权和信息点允许被控制的授权，否则联动控制不能实现。

6.3.3 成本估算电子数据分析

系统应具有成本分析功能,应能按建筑面积、空调面积或区域面积做出能耗统计。能按设备系统提交能效报告。

成本估算电子数据表通过简单的工程计算法估算在某空间提供空气调节装置(取暖装置)的成本,使用动态数据交换将实时数据从建筑管理系统中减去。这个测量很重要,因为采暖通风与空调系统通常耗费设备一半以上的能量。

一旦成本估算方案估算出了运行空气处理机组的现在成本及其"设备功率",可以用动态数据交换法将这些数值恢复为建筑物管理系统的类比数据值。这样建筑物管理系统的倾向性和警告限度等特征就能够得到应用。

6.3.4 系统运行维护、维修的工作规程

对系统设备进行恰当维修,可以大大降低系统整体的运行成本并能够提高系统的运行效率。虽然从通常角度来看,对系统设备等固定资产的维修是一笔开支费用,会增加运行维护的管理成本;但从提前维修,提高系统整体运行效率来看,积极的设备维修应该是使固定资产保值、增值,并创造效益的一个盈利方法。

利用集成的数据建立维修预测模型可以推迟大修的时间,减少维修的费用。

维修包括预防性维修、积极维护、停工检修,如:传感器的校准、空调机组过滤网及翅片的及时清洗等等。

6.3.5 维护监测

维护对能源的成本有很大影响,然而维护的重点是提高设备的使用寿命。许多大厦希望楼内的设备在至少98%的时间内被使用,为了达到这一目标,有必要延长设备的平均使用寿命(MTBF),并且减少设备维护的时间(MTTR)。

6.3.6 建立运营处罚管理制度

将建筑节能管理绩效纳入物业管理人员岗位责任制之中,并建立奖罚制度,监督物业管理对机电设备的运营,如运行方式取得了最佳准则后给予奖励,违反最佳准则则进行处罚。

6.3.7 能源及环境管理培训教育计划

给建筑物提供服务的员工以及使用建筑物的租户、商户进行经常性的关于节能与环保方面的知识教育及宣传，对建筑物的能源运行管理，达到节能目标有着非常重要的帮助。要制定一整套的对于员工及客户、租户的关于能源及环保方面的培训教育及宣传计划，来帮助员工及客户、租户提高节能与环保意识，在工作中主动、积极地配合建筑物的管理者对建筑物能源运行的管理工作，最终达到节能与环保的目标。

7 能耗计量

建筑物节能管理的基础是建筑能耗实时记录与准确计量。智能建筑能耗计量与管理的关键是分类实时记录并保证计量精度。

7.1 建筑能耗分类

根据科学分析和节能监督的要求，应在能源供给端和终端用户侧分类计量统计能耗。

在供给端，按能源的类型分为电能、热能、燃油、燃气、燃煤、风能、地热能等应分别设置相应的实时计量设备，统计输入的能量总量。目前国内建筑供给端能耗计量的薄弱环节是对油、气、煤的准确且实时的计量。

在终端用户侧，应根据设备或设备系统类型，在考虑计量成本和能效分析需要的条件下，设置适当的能耗计量装置。

按建筑智能化系统主要监控对象可分为：采暖系统、热水泵（一次泵、二次泵）、冷水机组、冷冻水泵、冷却塔、冷却泵、楼层空调、新风机组、通（排）风系统、数据信息与通信机房系统、消防供电、厨房、生活水泵、给排水系统、照明系统、电梯（输运）系统等等。供配电设计师宜配合做相应的回路设计。

在大分类下，还可根据分析和管理的需要，再分子类，如照明系统还可再分类为景观照明、室外照明、室内照明、分层（区）照明、分户（单元）照明，楼层空调按楼层分别计量能耗，并应分别实施水系统能耗和风系统能耗的计量等等；给排水系统可再分为热水、冷水、中水、排水子系统等。

7.2 能耗计量的实施

在建筑物能源供给端，由于计费的需要，不论能源的类型如何，都应配置相应的、能自动采集的能耗计量仪表，用户方为了控制计量精度，便于节能管理，也宜设置相应的建筑物（群）总能耗计量装置。

在锅炉与供热系统的计量中，要特别注意燃气和燃油的实时采集和准确计量，应采用智能化仪表计量，应能反映锅炉燃烧的效率、排烟参数、总供热量，各回路的热水供热量或蒸汽供热。目前大部分建筑通过燃料购买价估算能耗使用量的方法不能满足能耗统计和节能优化的需要，是不可取的。为了便于能耗统计和节能，应将供热锅炉的燃料和生活锅炉的燃料分开计量。对燃料的计量应当综合考虑安全性。

空调系统的能耗采集应包括冷冻水回路的流量和供回水温度、旁通阀压差和开度的监控；冷却水回路流量和供回水温度、冷却水旁通阀开度和压差的监控。为保证空调能耗的计量精度，所使用的温度传感器精度应为 $\pm 0.1℃$，流量计宜采用管道式电磁流量计。应根据需求确定各楼层的空调能耗计量，各楼层的负荷计量应包括风系统能耗和水系统能耗两部分，有条件时宜实现分户计量。

地源热泵的能源信息应采集主要用电设备的用电计量；应监控旁通压差和旁通阀开度；应采集送风参数和能耗。

建筑电能消耗计量，主要在供配电系统中实现。在建筑供配电子系统的设计中，应从各能耗设备的计量和节能的需求出发设计足够的回路，智能化系统设计应配置足够的智能计量仪表。能耗计量参数应包括视在功率、有功功率、无功功率和功率因数。电力计量管理系统应实现和建筑物设备监控系统的通信和接口，便于能耗数据的上传。有条件时应实现对主要回路谐波的监控。

在电力管理系统中应当建立能耗计量的历史数据库，以便实现能耗的分析和优化。

为了保证能耗计量的准确性，应定期对主要计能仪表进行标定。

8 建筑设备系统的能效评价

建筑物设备系统能效评价为建筑物节能设计和改造提供了定量的分析，是今后我国实施建筑物能耗认证的重要准备，能有效地促进建筑物设备系统的节能。

8.1 能效评价方法

建筑设备系统能效指设备系统运行过程中的能源利用效率。它由设备自身能效值、系统结构及运行管理三个主要因素所决定。设备系统的能效评价一般只对系统的总体运行效果进行评价，不分别作单一因素评价。但需要时，也可进行单一因素的能效评价，如对设备能效的评价。

能源利用效率的完整评价包含能耗的数量和品质两个方面。

能耗的数量评价基于能量守恒定律，通过分析对象的能量的输入输出关系，揭示出能量在数量上的转换、传递、利用和损失，确定系统的总体能效或系统某部分的能效。

能耗的品质评价基于热力学第二定律，能源的使用要遵循两个基本原则：一是高能级的能源不能用作低能级能源的用途；二是要实现能源的梯级利用，减少利用的级差。

目前的能源利用效率评价还主要是侧重于能耗数量方面的评价。

8.1.1 能效评价指标及定义

建筑设备系统实际消耗的能源除与设备系统本身的特性有关外，还与当地气候、建筑构造、建筑功能、使用性质等因素密切相关。从评价设备系统效率的角度分析，这些因素被视为建筑能耗的客观条件或客观特性。能效评价时，应剔除这些客观条件的影响。

建筑设备系统能效评价指标一般定义为设备系统能耗与该设备系统所服务的对象的某个客观特性的比值，称为能耗系数（Coefficient of Energy Consumption，CEC）。

例如：对于空调系统（AC）：

$$CEC/AC = \frac{空调系统全年能耗(MJ/q)}{建筑物全年空调计算负荷(MJ/q)} \tag{8.1}$$

上述公式中建筑物全年空调计算负荷是在一定气候条件、一定室内环境标准、一定使用条件（使用时间、人数、建筑使用面积、室内照度要求等）下建筑物进行空气调节的客观存在，它与空调系统并无关系。

本定义中所指的空调系统包括冷热源设备、冷热媒输送设备与系统末端空调设备，也即为空调各环节的所有设备和系统。

CEC值越小，说明该系统的能效越高。

类似地，其他系统的CEC指标定义为：

通风系统：

$$CEC/V = \frac{全年通风换气总能耗(MJ/q)}{全年通风换气计算负荷(MJ/q)} \tag{8.2}$$

通风指为改变室内空气品质独立设置的换气系统，如卫生间排气、地下车库通风等。空调系统在过渡季全新风运行，不含在此列。

$$照明系统：CEC/L = \frac{全年照明系统总能耗(MJ/q)}{全年照明系统计算负荷(MJ/q)} \tag{8.3}$$

$$热水系统：CEC/HW = \frac{全年热水系统总能耗(MJ/q)}{全年热水供应计算负荷(MJ/q)} \tag{8.4}$$

$$电梯系统：CEC/EV = \frac{全年电梯运行总能耗(MJ/q)}{全年电梯运行计算负荷(MJ/q)} \tag{8.5}$$

CEC指标能够客观真实地反映各个设备系统的能耗在数量

方面的效率。式(8.1)~式(8.5)中全年空调计算负荷、全年通风换气计算负荷、全年照明计算负荷、全年热水供应计算负荷和全年电梯运行计算负荷的确定存在大量的计算工作，给实际评价带来了不便。

8.1.2　工程不同阶段的 CEC 计算

应在工程的规划设计阶段和运行阶段分别进行能效评价，但目标和方法有所不同。

规划设计阶段的能效评价是为了比选或优化设计方案。在本阶段，所有设备系统的 CEC 值均采用模拟计算值。

运行阶段的能效评价是为了检验系统实际运行效果，对系统能效作出最终评判。在本阶段各设备系统总能耗是全年运行实际能耗，可通过统计得到数据。计算负荷仍为模拟计算值。

8.2　计算方法

CEC 指标中涉及多种设备系统的能耗与负荷模拟计算。其中以建筑物全年空调负荷计算最为复杂。

建筑物的空调负荷包括围护结构负荷、内部人员设备负荷和新风负荷三大部分。建筑物全年空调计算有负荷频率表法和基于反应系数法、状态空间法的计算机模拟计算方法。还有度日法和扩大度日法。度日法和扩大度日法计算简便，但误差较大，不在推荐之列。

建筑物的空调负荷计算较复杂，不同的方法应根据实际情况选用，详细的计算方法见附录 2。

8.3　能耗监测

能耗监测在设备系统运行阶段对各系统的能耗及运行状态参数进行记录，是设备系统能效分析与评价、节能改造的基础。

能耗监测应具备完整性和层次性的特点。

完整性：监测时不仅要记录能耗本身，还要记录与能耗相关的因素。包括建筑物的数量属性、建筑物能源供应的品种、能耗量及与运行相关的参数（如：室外气候、使用面积、使用功能、人数、室内环境参数情况等）。

层次性：监测时要按照能源总供给、能源转换、能源输送、能源消耗的顺序依次记录。按照层次性的要求，越到下层，记录的点会越多，所需资金投入也越大。实际上并不需要每个节点都要记录，而要根据建筑物的具体使用功能、特点和物业管理需要确定需要记录的节点。大多数情况下，监测点的设置原则是按照独立用能部门分别记录。

能耗监测的数据记录设备与仪表根据能耗的种类决定。

图 8-1 至图 8-7 是常用设备的能量监测原理图。

图例：

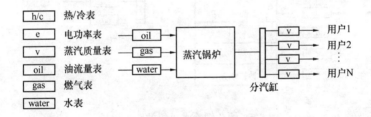

图 8-1　蒸汽锅炉的监测记录

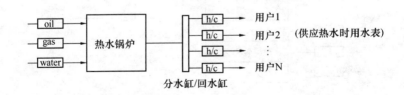

图 8-2　热水锅炉的监测记录

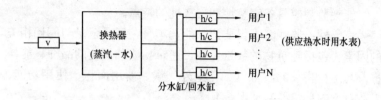

图 8-3　蒸汽—水换热器的监测记录

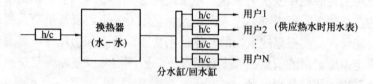

图 8-4　水—水换热器的监测记录

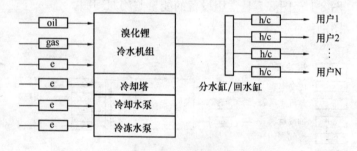

图 8-5　溴化锂冷水机组的监测记录

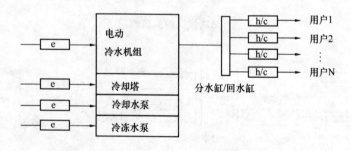

图 8-6　电动冷水机组的监测记录

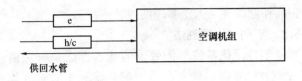

供回水管

图 8-7 空调机组的监测记录

8.4 能效标准

目前，尚未建立我国自己的建筑物能耗标准。建筑物能耗标准应根据中国的节能目标、不同地区的气候特点、围护结构的热工条件、室内环境标准等基础条件进行制定。

能耗标准确定的基础是对各类公共建筑和住宅的大量的能耗统计。在此基础上结合我国的建筑物能耗现状和节能要求，提出我国的建筑物能耗使用基准。因此尽快实行各类建筑物能耗统计非常重要。

目前我国提出节能 50％的要求，主要是对建筑设计、围护结构提出了明确的要求，对各类建筑设备只提出了设备的能效指标：如制冷机、锅炉、风机、水泵、照明、光源等的效率值；《公共建筑节能设计标准》还对系统设计、输送方式、输送效能提出了要求和限定，对运行管理也提出了相应措施，但大部分没有定量评价方法。对设备系统节能尚不够明确，只侧重于提高设备效率的一个方面。由于设备系统能耗是由设备、系统结构、调试与运行管理三个环节决定，只有同时从这三方面节能才能真正提高设备系统的效率。

国外相关的建筑物能耗标准见附录 4。

8.5 楼宇自动化系统（BAS）节能效果的评测

楼宇自动化系统的节能效果是通过 BAS 运行管理实现的，

体现了智能控制管理与人工管理的差异。

8.5.1　实测对比评测法

评测楼宇自动化系统节能效果的基本方法是分别由人工和BAS对建筑物设备系统管理一段时间，统计不同管理模式下的运行能耗，两者之差即为节能值。

保证评测准确度的前提是两种模式下气候条件与使用工况要基本一致，每种模式需分别运行 3～5 天时间。对比测试应分别在冬夏季的最冷/最热时段和用冷、热源的过渡季节进行。

8.5.2　BAS 管理下的节能效果计算

BAS 管理下的主要节能控制措施的节能效果采用理论估算方法。具体计算方法见附录 3。

8.6　建筑物能源评测的实施方法

建筑物能源评测的实施可以参照《企业能源审计技术通则》（GB/T 17166—1997）进行。该标准规定了企业能源审计的基本内容以及重点用能企业的计划性日常能源审计的内容，其方法对于开展建筑物能源评测有着极为重要的参考价值。

8.6.1　服务型建筑物能源评测的基本内容

主要内容为：

（1）建筑物能源管理概况的描述；

（2）建筑物用能管理概况及能源消耗流程分析；

（3）建筑物能源计量及统计状况；

（4）主要用能设备运行效率监测；

（5）建筑物能源消耗指标计算分析；

（6）重点设备系统能耗指标；

（7）能源成本指标计算分析；

（8）节能效果计算与考核指标计算分析；

（9）影响能源消耗变化因素的分析；

（10）节能技术改进项目的经济效益评价；

（11）建筑物合理利用能源的建议与意见。

能源评测是提高建筑物能源利用效率的系统化工程之一，其范围不仅仅局限在设备系统的能源计量及统计、能效指标的计算内，还包括了设备系统的节能方案建议等内容。

8.6.2　实施建筑物能源评测的程序

8.6.2.1　能源评测的准备

（1）成立评估小组

应成立由评测单位和被评测单位共同组成的评估小组，人员包括技术专家和经验丰富的管理人员。应制定明确的评测目标、具体的工作顺序、时间安排和评测工作方案。

（2）评测的动员

评测小组进入建筑物后，首先应组织能源评测工作动员会，由建筑物主要负责人主持，有关部门负责人参加，明确能源评测的目的、意义和内容；布置各部门提供所需的资料，作好能源评测工作的配合。

（3）制定初步工作方案

初步评测工作方案应包括以下具体内容：

①评测期一般以一个年度为基期，对比期可选 1～3 个年度；

②评测工作时间一般为 10～15 个工作日；

③评测工作内容和范围；

④配合人员一般为物业管理主管负责人、业务熟练的统计和会计（各 1 人）、熟悉设备系统的维护人员（1～2 人）；

⑤要求提供的资料目录；

⑥所要检查的帐目、表、卡等；

⑦评测工作的依据。

8.6.2.2　数据的收集与整理

建筑物能源消耗数据是能源评测的主要依据，建筑物各部门应如实地提供有关资料。收集的基本数据一般应包括以下内容：

（1）建筑物的基本情况：建筑功能，建筑面积、工作时间，建筑物围护结构类型与热工特性，工作人员数量和办公设备情况等；

（2）设备系统型式：包括冷热源系统、空调系统、热水供应系统、照明系统、变配电系统、给排水系统、运输系统等；

（3）设备台账：各种设备的型号、规格、参数；

（4）各设备系统的运行管理模式、运行记录；

（5）建筑物能源消耗统计、能源平衡表或能流图。能源消耗统计应独立计量冷水机组（每台独立计量）、冷冻水泵、冷却塔、冷却泵、锅炉燃料、热水泵（一次泵、二次泵）、楼层空调、新风机组、机房供电、消防供电、厨房、生活水泵的能耗；

（6）统计、记录的建筑物使用情况（如实际使用面积、人数、客房率、室外温度等）；

（7）建筑物能源、原材料的成本与价格；

（8）能源管理系统的制度、管理办法以及节能培训计划等。

8.6.2.3　现场监测和巡视

首先应判断提供的能耗数据的可靠性，因为部分传感器的不精准，所以建筑物的监测数据普遍存在可靠性问题。评测人员应掌握第一手资料，对建筑物内部主要用能设备的系统流程进行巡视考察和现场监测，记录计量仪表安装的位置、工作状态和参数，对存在的问题加以整改。

现场监测与评测调查可同步进行。但如果在分析与评估能源数据过程中，统计数据和参数缺口较大，则应重新建立完整的能源计量与监测系统，并积累至少一个评测期后才能开展评测。

巡视考察过程中检测评估人员应加强与有关人员的座谈，了解建筑物设备的操作管理工艺及职工的节能意识；同时绘制系统草图；掌握所取数据的具体工况，标明所取数据的位置和状态，以便于综合分析提出节能措施。

8.6.2.4　能耗计算和分析

根据统计的能源消耗数据计算各个设备系统的能耗，对照推荐的设备系统的能耗指标对其能源消耗水平做出评估。

分析建筑物在能源使用方面存在的问题和节能潜力，提出改进的措施和建议。对提出的各种改进措施和节能技改项目要估算投资费用、预计节能效果、投资回收期、成本效益比或寿命周期等。

节能改造方案应包括节能潜力、经费投入、实施效果等方面内容。应优先对节能潜力大、投资少的项目进行改造。

8.6.2.5　编制建筑物能源评测报告

建筑物能源评测报告宜由两部分组成：评测报告摘要和评测报告正文。

评测报告摘要内容包括建筑物概况、能源消耗结构、各个系统能耗水平、废气物排放量、节能项目名称、规模、技术特征及工艺条件、节能环保效益评估、经济效益、资金筹措、实施进度表和存在问题。

评测报告正文内容包括：

(1) 建筑物概况、机电系统概况、运行管理模式等。

(2) 建筑物能源统计、建筑物能源消耗网络图、建筑物能量平衡表、建筑物能源消耗结构及财务报告、建筑物能源管理信息系统概况。

(3) 建筑物用能分析、主要设备运行评价、节能潜力分析、能源价格调查与财务评价目。

(4) 节能技术改造项目评价：工艺特点、先进性及节能效果、技术经济评价、环保效益、资金筹措等。

(5) 总结：建筑物能源评测意见、存在问题、建议。

(6) 附件：建筑物能源评测通知书、建筑物能源评测方案、评测人员名单、评测单位及负责人签章。

8.6.2.6　定期回访

能源评测部门在评测工作完成后，要定期对被评测单位的节能措施整改落实情况和效果进行回访调查，并将整改结果报告节能主管部门。通过回访，一方面可以对被评测单位进行有效的监督管理，提高其对能源评测工作的认识程度；另一方面，也可以通过回访检验评测单位工作的科学性和实用性，从而提高评测工作的质量。

9 可再生能源利用

建筑可再生能源利用，主要指在建筑物上利用太阳能、风能、生物质能、海洋能、地热能和水能等直接或间接来自太阳的可再生能源。

用于建筑的可再生能源，可以分为五个部分：

（1）太阳能的光电利用，主要包括太阳能光伏发电系统和太阳能光伏照明系统；

（2）通过控制围护结构遮阳等部件，充分利用太阳能，同时减少太阳辐射对建筑环境的影响，实现节能。建筑设计中充分利用天然光采光和自然通风；

（3）太阳能光热利用，包括太阳能集热器供生活热水和采暖、太阳能热泵采暖和空调系统；

（4）其他可再生能源利用，主要指农村乡镇生物质燃料和沼气技术、风能、水能、地热能等。无动力通风系统应用于建筑物设计可产生可观的节能效果；

（5）综合利用指在同一建筑物上根据自然环境和周边可利用再生能源情况，进行总体设计，合理利用可再生能源，发挥节能效益。

9.1 太阳能的光电利用

（1）太阳能光伏发电系统，利用半导体器件的光伏效应原理，直接实现太阳能的光电转换。通过建筑一体化设计，太阳能光伏发电系统已经成为现代节能建筑的重要组成部分。在标准日照条件（1000W/m²）下，一平方米的太阳能电池板上输出功率

45

为 130～180W，平均光电转换效率约为 13%～18%；建筑一体化太阳能光伏发电系统可实现分布式发电，大量减少输配电损失和投入，形成与基地式电站互为补充的新型能源供应模式；安装了太阳能电池板的屋顶和外墙，直接降低了建筑物外围护结构的温升，从而减少了室内空调负荷。太阳能光伏发电系统的控制器是建筑设备监控系统的主要组成部分，主要用于监测整个系统的工作状态，保护蓄电池系统。在昼夜温差较大的地方，控制器应具备温度补偿功能，并实现太阳能光伏发电系统的并网发电。

（2）太阳能光伏照明系统包括太阳能光伏电池组件阵列、逆变、并网、密封免维护蓄电池、太阳能照明控制器、节能绿色高效光源等，若要实现集中控制功能，还应包括集中控制器及控制网络。其中，太阳能光伏电源控制器采用最大功率点跟踪（MPPT）和脉宽调制（PWM）技术，以最大化地提高太阳能的转换效率和对蓄电池组的保护，实现系统的长期免维护运行。太阳能光伏照明系统主要可用于路灯、园林灯等户外照明设施。

9.2 通过对围护结构的控制，充分利用太阳能、风能等可再生能源

现代节能建筑中，一项重要节能措施是利用天然光来减少照明负荷。通过建筑设备监控系统对窗帘、外遮阳板进行调节，并对邻近天然光的照明设备进行配合控制，可以实现照明系统的节能。通过光导纤维，将太阳光直接导入室内实现白天无天然光照明空间的照明，是太阳光照明技术的新产品。

在过渡季节用自然通风代替空调，是建筑节能的重要举措。通过合理开关门窗，充分利用自然通风。

在中空玻璃幕墙结构建筑的顶部设置动力烟囱，或设计建筑物无动力通风系统，合理组织建筑物内的气流等技术措施，也已在试用中取得了成功经验。实现这些对象的控制和调节，都是现代智能建筑的主要课题。

9.3 太阳能光热利用

9.3.1 太阳能集热系统

太阳能集热器主要分为平板型太阳能集热器和真空管型太阳能集热器两种。

平板型太阳集热器的工作原理为：阳光透过透光盖板照射在表面涂有高太阳能吸收率涂层的吸热板上，吸热板吸收太阳辐射后温度升高，将热量传递给集热器内的工质，使工质温度升高。

真空管型太阳集热器的工作原理为：太阳能通过外玻璃管照射到内管外表面吸热体上转换为热能，然后加热内玻璃管内的传热流体，由于夹层之间被抽成真空，有效降低了向周围环境的热损失，使集热器效率提高；其产品质量与选用的玻璃材料、真空性能和选择性吸收膜有重要关系。

太阳能集热系统应能实施系统运行的自动控制、集热系统和辅助设备启停的自动切换、防冻保护和防过热保护等控制功能。

9.3.2 地源热泵

（1）地源热泵系统主要分为地埋管换热系统、地下水换热系统和地表水换热系统。

（2）地源热泵系统由室外热源和冷源、水环管路和热泵机组、室内末端输配系统组成，有时还要在系统上附加辅助锅炉和冷却塔。

（3）地源热泵系统主要采用岩土体、地下水、地表水为低温热源，以水或添加防冻剂的水溶液为传热介质，采用蒸汽压缩热泵技术进行供热、空调或加热生活热水。

（4）地源热泵系统方案设计前，应进行工程场地状况调查，并应对浅层地热能资源进行勘察，通过调查来获取水文地质资料。对于地下水换热系统应该进行水文地质实验。

（5）地源热泵系统方案系统设计前，应该根据工程勘察结果，评估系统实施的可行性和经济性。

（6）地源热泵系统施工时，严禁损坏既有地下管线和构筑物。

（7）地源热泵系统地埋管换热器安装完成后，应该在埋管区域作出标志或标明管线的定位带，并应采用两个现场的永久目标进行定位。

（8）地源热泵系统地埋管换热系统施工前应具备埋管区域的工程勘察资料、设计文件和施工图纸，并完成施工组织设计。

（9）地源热泵系统地下水换热系统应根据水文地质勘察资料进行设计。必须采取可靠回灌措施，确保已置换冷量或热量后的地下水全部回灌到统一含水层，并不得对地下水资源造成浪费及污染。系统投入运行后，应对抽水量、回灌量及其水质进行定期监测。

（10）若使用地源热泵系统地下水系统，应保证地下水的持续储水量满足地源热泵系统最大吸热或释热量的要求。

（11）地源热泵系统地表水换热系统设计前，应对地表水地源热泵系统运行对水环境的影响进行评估。

（12）地源热泵系统地表水换热系统设计方案应根据水面用途、地表水深度和面积、地表水水质/水位和水温情况综合确定。

（13）地表水换热盘管的换热量应满足地源热泵系统最大吸热量或释热量的需要。

（14）地源热泵系统交付使用前，应进行整体运转、调试与验收。

9.3.3　热泵的控制

原则上，热泵系统的控制与空调系统的控制相同，但在一些特殊工况下，例如，在进行供热/制冷切换时，热泵对控制系统提出了特殊要求，需要采取防水措施；当制冷和供热或辅助热源需要同时投入时，或当与燃气空调联合运行时，需要调节瞬时冷/热负荷，以匹配辅助热源和辅机设备的能量需求，进行除霜过程操作，并在其设计极限内实现安全切换。

9.4 可再生能源的综合利用

可再生能源综合利用系统通常都采用建筑能源协调控制系统，即将整个建筑看成一个能源体系，调控组成建筑能源协调控制系统的各子系统，使之在保证性能、各功能要求和运行安全的前提下，尽量运行在高效运行特性区间内；也可将可再生能源利用系统与采暖、空调、照明控制系统通过建筑智能化系统进行协调控制，实现节能运行。

10 既有建筑节能改造

2000年以前的大量建筑，基本上没有按节能和可持续发展的标准设计，能耗严重超标。既有建筑的节能改造可分为能耗状况检测分析与节能措施的设计与实施两大部分。本导则将着重提出通过智能化系统的建设，使既有建筑达到节能标准的要求。

10.1 既有建筑能耗状况的检测分析

对既有建筑的能耗状态应进行全面检测与分析，检测内容应当包括冷热负荷分析。应采用计算机仿真软件估计建筑物每年运行的能耗，并评价在建筑物建成后3年的运行能耗。

（1）建筑整体结构对能耗影响的评估；

（2）建筑墙体、围护的保温透热状况检测分析；

（3）窗的设计状况，窗保温透热状况的检测与分析；门窗泄漏的检测和分析；

（4）暖通空调能耗状况的检测与分析，应包括：

- 冷热源和能量转换系统
- 空调制冷设备中工质的使用
- 空调通风系统
- 新风热回收状况
- 室内空气质量
- 室内自然通风
- 排风与换气

在有条件的地区，还应该考虑其他节能供暖方式的效率检测与分析：

①热电联供和分区供暖/冷却（CHP）：为了有效地利用燃料和其他能源，热电联供是能源有效利用的解决办法，其可以节省燃料，从而同样减少二氧化碳的排放量。热电联供主要适用于大型建筑物，比如公寓楼、医院、宾馆、娱乐中心、航空站、购物中心，以及其他的大型办公楼。

②供热泵：供热泵是另一个节能方案，在某种情况下，供热泵有助于建筑物中能源的节约，其效果是明显的。对于环流供暖，供热泵的效率是很高的，而且有时候对于单个住宅和多个住宅都是适用的。

③地源热泵/水源热泵。

（5）锅炉类型及效率的检测；

锅炉的年总有效利用系数是通过与取暖设备（辐射热防护装置）的正确相配，停工损失的减少，利用控制设备以及对于建筑物和气候锅炉的正确的容量估计而改善的。年久的锅炉有比额定和不满载还低得多的效率，由于种种理由，它们中的大多数容量是过大的。

（6）供暖与制冷传输管道效率检测与分析；

（7）照明系统能耗状况的检测；

照明的节能潜力可以借助于应用高效率的照明设备，通过利用照明控制系统以及自然采光集成相关技术来实现。

（8）供变电系统的能耗与效率检测；

合理选择变压器等变配电设备，准确计算可能的最大用电量，减少不必要的冗余，这些是变配电系统节能改造的重点。可以根据具体情况配用较小容量的变压器，在用电高峰以外的时间，用小容量变压器代替大容量变压器工作，减少电能浪费，节约能源。

（9）智能化系统节能效率检测与分析；

（10）其他大型设备能耗状况的检测；

（11）建筑能耗管理的分析。

10.2 既有建筑智能化系统节能措施

既有建筑节能改造的重要部分是墙体、护围和窗的改造。但本导则仅重点提出通过智能化系统的建设，改善既有建筑的节能状况。

暖通空调是建筑能耗的主要部分，在对原系统进行能耗检测与分析的基础上，可对系统存在的问题进行结合实际的、有针对性的改造。可供选择的措施有：

（1）对未建立楼宇自控系统（BA 系统）的建筑，增加 BA 系统，对暖通空调系统实施自动化管理，改善能耗状态。

（2）对已建立 BA 系统的建筑，首先应当对 BA 系统进行监控数据合理性的评估和分析，因为目前普遍存在建设后部分传感器监测数据不准确的现象；然后对系统的功效进行检测分析，对效率低的系统针对检测分析找出的问题提出改进措施。

（3）采用太阳能发电系统和太阳能供热系统。

采用具有红外传感、照度传感、震动传感等联动的智能照明系统，提高照明系统的能量利用率。对一般性公共建筑，每天照明耗能应小于 $11W/m^2$。

（4）采用优化的锅炉供暖系统或采用其他高效的供暖方式。

（5）采用高效节能的暖通空调系统。

（6）采用高效率的供暖与制冷传输管道系统。

（7）采用节能灯具和智能化照明系统。

（8）采用优化的供变电系统。

建立变配电与供电系统的检测与监控系统，优化变配电与供电系统的设计与运行管理，提高系统的能量利用率。

（9）优化供水系统，减少供水系统的能耗。

（10）采用其他先进技术的措施，降低建筑的能耗。

（11）建立严格的能耗定期分析与管理制度，通过加强管理降低建筑能耗。

结　束　语

　　总之，建筑节能与智能化技术紧密结合，将有利于挖掘建筑节能潜力，提高建筑节能水平，让投资、效益、能耗及建筑环境各项指标控制在合理范围内。本导则是指导建筑节能智能化技术应用工程的参考性文件，导则中所涉及的节能策略、技术方法、量化指标还需要广大工程技术人员在工程实践中进一步实践，并不断深化提炼、总结提高，最后形成《建筑节能智能化技术应用规程》，进行广泛推广普及，指导大家做好建筑节能工作。

附　录

附录1　建筑节能相关政策法规和标准规范

《节约能源法》，1997 年 11 月 1 日颁布，1998 年 1 月 1 日起施行（目前在修订之中）；

《可再生能源法》，2005 年 2 月 28 日颁布，2006 年 1 月 1 日起施行；

《中华人民共和国建筑法》（在修订之中）；

《建设工程质量管理条例》；

《民用建筑节能管理规定》第 143 号部令，已经于 2005 年 11 月 10 日发布，2006 年 1 月 1 日起施行；

《公共建筑节能设计标准》GB 50189—2005；

《绿色建筑评价标准》GB/T 50378—2006，2006 年 3 月 7 日颁布，自 2006 年 6 月 1 日起实施；

《建筑节能管理条例》（征求意见稿）。

附录2　建筑物的空调负荷计算

1　负荷频率表法

负荷频率表是美国暖通空调工程师协会（ASHRAE）推出的一种精度较高的全年空调负荷的简算法，又称温频法（BIN）。这种方法的基本思想是将各种负荷与温度建立关系。将室外气温按一定间隔分段，并统计出每段温度出现的小时数（即频数），再取温度段内干对温度相应的含湿量对温频数取平均值，得到与该温度段中心温度相对应的含湿量。用该温度段内的代表温度对应的负荷乘以该段内总频数，得到该温度段内能耗。将夏季或冬季各温度下的冷热能耗累计，便得到全年空调负荷。

2　空调负荷动态模拟计算

动态模拟计算是充分考虑房间热交换的各种因素，建立各个热过程的传热模型、房间的热平衡方程组，在一定的气候条件下，求解房间热平衡方程组得到逐时空调负荷的方法。

动态模拟计算方法现在已形成了许多种模拟软件，如我国的DeST，美国的 Energy plus、DOE2、HVACSIM＋，英国的ESP，日本的 HASP。

在对于不透明围护结构传热计算时，DeST、Energy plus 都采用状态空间法，DOE2 采用反应系数法，而 ESP 则采用有限差分法。

动态模拟计算过程主要包括建筑模型建立、参数设定和模拟计算三个过程，主要工作量在前二步。

3　空调系统的全年运行能耗计算

空调系统的能耗包括冷热源设备、输送系统和末端设备的能耗。

计算方法也应分为简算法和动态模拟方法两种。

3.1　当量满负荷运行时间法

当量满负荷运行时间 τ_E 是全年空调冷/热计算负荷总和（q_a）与制冷机（或锅炉）最大出力的比值，单位：h/a

$$\tau_E = \frac{q_a(\text{MJ/a})}{q_R(\text{MJ/h})} \tag{1}$$

也即制冷机/锅炉在一年中的实际工作时间折算为在满负荷状态下的工作时间。以 τ_E 为基础，计算负荷率，ζ

$$\zeta = \frac{\text{当量满负荷运行时间 } \tau_E(\text{h/a})}{\text{全年总运行时间 } T_R(\text{h/a})} \tag{2}$$

在 τ_E 和 ζ 的基础上可进行设备的全年运行能耗设计。

（1）制冷机耗能 P_R、Q_{fR}

电动式：$\qquad P_R = (\sum_{PR})\tau_{ER}$ $\hfill$ (3)

P_R：冷冻机满负荷时的功耗(MJ/h)

τ_{ER}：制冷工况下，当量满负荷时间

吸收式：$\qquad Q_{fR} = (\sum q_{fR})\tau_{ER}$ $\hfill$ (4)

Q_{fR}：冷水机满负荷时的油/气耗(L/h)

（2）冷冻水泵和冷冻水泵耗电量 P_P(MJ/q)

定水量时：$\qquad P_P = (\sum p_P)T_P$ $\hfill$ (5)

变水量时：$\qquad P_P = (\sum p_P)T_P(\zeta_R + \alpha)$ $\hfill$ (6)

其中：$\qquad \alpha = (1 - \zeta_R)/n$

p_P：单台设备的功率(MJ/h)

T_P：水泵运行时间

n：台数

（3）冷却塔耗电量 $\qquad P_{CT}$(MJ/α) $\hfill$ (7)

全部运行时：$\qquad P_{CT} = (\sum p_{CT})T_{CT}$

台数控制时：$\qquad P_{CT} = (\sum p_{CT})T_{CT}(\zeta_R + \alpha)$ $\hfill$ (8)

P_{CT}：单台冷却塔小时功耗(MJ/h)

（4）风机电耗（包括 AHU、PAU、Fanc 等）(MJ/a)

定风量：$\qquad P_F = (\sum p_F)T_F$ $\hfill$ (9)

变风量：$\qquad P_F = (\sum p_F)T_F(\zeta' + \alpha)$ $\hfill$ (10)

其中：$\qquad \zeta' = (\zeta_R T_R + \zeta_B T_B)/(T_R + T_B)$

P_F：单台风机小时运行功耗(MJ/h)

（5）锅炉燃料耗量(L/a 或 m³/a)

锅炉(1 台)：$\qquad Q_{fB} = q_{fB}\tau_{EB}$ $\hfill$ (11)

2 台、2 台以上：$\qquad Q_{fB} = (\sum q_{fB})T_B(\zeta_B + \alpha_B)$ $\hfill$ (12)

q_{fB}：锅炉小时燃料耗量(L/h、m³/h)

τ_{EB}：锅炉当量满负荷运行时间(h/a)

3.2 负荷频率表法

前面已介绍可用 BIN 法计算不同温度分段内空调负荷。可

以用这一结果分段计算冷冻机、锅炉的能耗。由于冷冻机效率与温度相关，因此，用 BIN 提供的分段温度计算冷冻机能耗更为准确。

首先确定建筑物供冷供热的转换温度 COT（Change Over Temperature）

$$COT = t_r - (q_G/q_c)(t_r - t_{od}) \tag{13}$$

t_r：计算室温

t_{od}：室外空气温度（设计状态）

q_G、q_c：冬季净热和失热量（设计状态）

先进行供热/供冷温度段的划分，根据制冷机、锅炉、热泵的温度—负荷特性，即可方便地计算出冷热源的能耗。

3.3 动态模拟法

通过建立空调设备系统各部件及系统结构的数字模型、仿真系统，在不同负荷条件下的动态特性及在各种控制方式下的响应，可以得到空调系统的全年能耗。

空调系统全年运行能耗的动态模拟计算可以通过 DeST、Energy plus 等软件完成。

附录 3 BAS 管理下的节能效果计算

1 温度控制

温度控制使室内温度能保持在设定值上。而人工控制的室内温度的基准值和精度都难以保证。温度基准值的偏移将使得空调负荷增加或偏小。其变化值可以通过动态模拟软件计算得到。

温度偏移产生的负荷影响与建筑围护结构特性、气候条件等有关，需具体计算而定。通常室温基准变化 1℃，夏季空调负荷变化范围 7%～10%，冬季空调负荷变化 5%～8%。

2 AHU 的全年多工况运行控制

人工管理模式下，AHU 的新回风比可进行季节性手工调节，即新风量保持最小，有一定的节能效果。全年多工况运行控制则可以根据室外气象参数调节新风量，连续调节新风比，利用室外新风的冷量或热量对室内环境进行冷却或加热，从而减少人工制冷量和加热量。

舒适性空调宜以室外气温 t_w 与室内温度 t_n 作为新风控制的调节标准，在夏季当 $t_w \leqslant t_n$ 时，宜全新风运行，在 $\left(t_n - \dfrac{Q}{GC_p} \right) < t_w < t_n$ 范围内，减少的空调负荷为：

$$\sum (t_n - t_{wi})(G_n - G_w)C_p T_i / \varepsilon \tag{1}$$

其中：G_w：为最小新风量（kg/s）

G：总送风量（kg/s）

T_i：为 t_{wi} 出现的时间（h）

ε：制冷机制冷系数

G_n：回风量（kg/s）

t_{wi}：某区间室外气温，以 1℃ 为区间

当 $t_w < t_n - \dfrac{Q}{C_p G}$ 时，节省的空调负荷为：

$$\sum [Q + (t_n - t_{wi})(G - G_n)C_p T_i] / \varepsilon \tag{2}$$

其中：Q 为建筑内部传热及太阳辐射热。

3 AHU 变风量运行控制

变风量空调系统根据负荷的变化自动调节送风量，可以减少风机输送能耗。变风量通常以风机变频调速来实现，变风量的范围一般不低于总风量的 60%，对定静压调节的变风量系统，其风量变化与功耗的关系服从：

$$\left(\frac{N_1}{N_2} \right) = \left(\frac{G_1}{G_2} \right)^3 \tag{3}$$

在 60%～100% 风量范围内，以 $\Delta = 5\%$ 对负荷分段，统计各系统空调负荷分布的频率。

变风量节约的输送能耗为：

$$\sum_{i=1}^{7} 0.8 \left[1 - \left(\frac{G_i}{G} \right)^3 \right] N T_i \tag{4}$$

G_i 分别为：0.95G、0.9G、0.85G、……0.6G

N：单风风机送风量运行时的功耗（kW）

0.8 为修正系数，考虑 VAVBOX 阀门开度调节对系统阻力的影响。

若 VAVBOX 中有风机，则节能量有所下降变为：

$$\sum_{i=1}^{7} \left[\left(1 - \left(\frac{G_i}{G} \right)^3 \right) N T_i - n N_F T_i \right] \qquad (5)$$

式中　N_F：BOX 中风机的功率；

　　　n：BOX 中风机的总数。

4　冷冻水温再设控制

人工运行管理时，冷冻水出水温度通常设为 7℃。在自控模式下可以根据空调负荷特性调整出水温度，提高冷冻机效率，减少能耗。冷冻机提高水温后，冷冻机制冷负荷仍不变，当然对末端空调器换热量有影响。

再设控制的基础条件是建立室外温度与冷冻水供水温度的对应关系，控制系统根据室外温度值设定冷冻机的出水温度。通常只是在室外温度 t_{wi} 低于某个临界值 t_{wc} 时才调节，节能量为：

$$\sum_{t_{wc}} (N_i - N_{xi}) T_i \qquad (6)$$

N_i：室外 t_{wi} 温度下，出水温度 7℃ 时，冷冻机所需功耗，由制造商提供。

N_{xi}：室外 t_{wi} 温度下，出水温度为调节温度时冷冻机所需功耗，由制造商提供。

T_i：t_{wi} 出现的时间。

附录 4　相关的建筑物能耗指标

1　CEC 指标/点值指标

日本的不同类型建筑的 CEC 指标的基准见表 1。

业主可接受的 CEC 基准/点值　　　　　　表 1

	宾馆等	医院等	商店等	办公建筑等	学校等	餐饮等	集合场所等
CEC/AC	2.5以下	2.5以下	1.7以下	1.5以下	1.5以下	2.2以下	2.2以下
CEC/V	1.0以下	1.0以下	0.9以下	1.0以下	0.8以下	1.5以下	1.0以下
CEC/L	1.0以下	1.0以下	1.0以下	1.0以下	1.0以下	1.0以下	1.0以下
CEC/HW	1.5～1.9以下（根据配管长度和热水供应量大小确定）						
CEC/EV	1.0以下	—	—	1.0以下	—	—	—

如按计点法评价，则总点值大于 100

日本可持续建筑协会制定的建筑物综合环境性能评价体系（CASBEE），针对 CEC 和点值的大小的评分方法见表 2。

CEC/点值的评分　　　　　　表 2

评　分	用 CEC 评价	用点值评价
评分 1	与基准值相比，（CEC 值）≥5%	点值<90 点
评分 2	与基准值相比，5%>（CEC 值）>0%	90 点≤（点值）<100 点
评分 3	与基准值相比，0%≥（CEC 值）>−10%	100 点≤（点值）<120 点
评分 4	与基准值相比，−10%≥（CEC 值）>−25%	120 点≤（点值）<140 点
评分 5	与基准值相比，−25%≥（CEC 值）	（点值）≥140 点

2　能耗绝对值标准

日本各类建筑物的一次能耗基准，表 3。

一次能耗基准　　　　　　表 3

	宾馆等	医院等	商店等	办公建筑等	学校等
MJ／a	3031	2798	2575	1800	1185

附录 5　德国建筑能耗效率标准

2005 年德国的建筑和民用工程标准委员会（the Normenausschuss Bauwesen）和热能、通风标准委员会（Normenausschuss Heiz-und Raumlufttechnik）以及照明科技标准委员会（Cooperation of the Normenausschuss Lichttechnik）组成的联合委员会提出了 DIN V 18599 系列暂行标准"建筑能耗效率—关于加热、制冷，通风，室内热水和照明的净能、最终能耗和一次能源能耗的计算"。该标准由以下部分组成：

第一部分　普通平衡程序、术语和定义，能量来源的分区和估计

第二部分　建筑区块的加热以及制冷的净能量需求

第三部分　空调的净能量需求

第四部分　照明的净能量需求

第五部分　加热系统的最终能量需求

第六部分　住宅类建筑的通风系统和空气加热系统的最终能量需求

第七部分　非住宅类建筑的空气处理以及空调系统的最终能量需求

第八部分　家庭热水系统的净能量和最终能量需求

第九部分　供热和发电混合系统的最终和初始能量需求

第十部分　效用的边界条件和气候数据

DIN V 18599 系列暂行标准提供了一种估算总体的建筑能耗效率的方法。这种计算方法用于建筑的供暖、家庭热水加热、通风、空调和照明所需要的能量数量的估计。

DIN V 18599 系列暂行标准也考虑到了能量流的相互影响。暂行标准还详细说明了决定能量需求的用于无偏估计（独立于个体使用者和当地气候数据的行为）的和操作相关的边界条件。

DIN V 18599 系列的暂行标准适合于决定建筑或部分建筑长期的能量需求以及评估建筑可更新的能量来源的可能用途。程序是为即将建造的建筑和已有建筑的修整而设计的。程序的过程为：

（1）确定边界条件和如何根据使用的类型把建筑物分区，以

及物理结构、建筑物的安装技巧包括照明设备的相关说明等。（DIN V 18599—10 中描述）

（2）计算关于建筑物分区的平衡问题时必须输入相关数据：区域、建筑物的结构特性、安装技术上的特点，通风系统的类型、供气温度和空气的排放速率。（DIN V 18599—3，DIN V 18599—10 中描述）

（3）确定每个区域的照明设备的能量来源和照明设备关于净能量最终能量的需求。（DIN V 18599—4 中描述）

（4）计算在各个区域中通风设备热量的来源和散失。（DIN V 18599—6，DIN V 18599—7 中描述）

（5）计算人体和设备（包括安装的设备）的热量的来源和散失。（DIN V 18599—2 中描述）

（6）计算建筑物每个分区对净热量和冷却能量的需求。其中需要区分其是否被使用，并且考虑了热量的来源和散失。

（7）计算供给系统的平衡时对于净能量的初步分配问题。HVAC 系统的相关描述在 DIN V 18599—3 和 DIN V 18599—7，在 DIN V 18599—6 中关于民用通风的相关说明，在 DIN V 18599—5 和 DIN V 18599—7 有关于加热和冷却系统的相关说明。

（8）确定各个区域加热过程的热量来源。在分配、储存和各区域产生热量的过程中，基于对净能量的评价在 DIN V 18599—5 中描述。

（9）在各自区域的冷却中的热量来源和散失，在分配、储存和各区域产生热量的过程中，基于对于净冷量的需求在 DIN V 18599—7 中描述。

（10）热水加热过程中的热量来源，在分配、储存和各区域产生热量的过程中。（在 DIN V 18599—8 中描述）

（11）关于各个地区的净热量或净冷量的平衡计算问题，在净能量中要把每天使用的和不使用的区分开来（在 DIN V 18599—2 中描述）。从第七步到第十一步进行重复循环净冷量和净热量之间的误差范围小于 0.1%即可停止循环。

（12）空调系统对于净能量的需求，以及所有地区关于计算净能量的总和。（VVS 系统）（在 DIN V 18599—3 中描述）

（13）供给系统平衡时所供给的能量的最终分配问题，HVAC 系统的相关描述在 DIN V 18599—3 和 DIN V 18599—7，在 DIN V 18599—6 中有关于民用通风的相关说明，在 DIN V 18599—5 和 DIN V 18599—7 有关于加热和冷却系统的相关说明。

（14）在控制过程中热量的散失，以及在加热过程热量（发动机的净热量的输出）的存储和分配问题的相关描述。（DIN V 18599—5 中描述）

（15）在控制过程中热量的散失和空气运输系统的分配体的相关描述。（DIN V 18599—6 中描述）

（16）损失的决定，由于控制和向 HVAC 系统的热供应的排放，分配和储存。（DIN V 18599—7 中描述）

（17）损失的决定，由于控制和制冷的排放，分配和储存。（DIN V 18599—7 中描述）

（18）损失的决定，由于控制和民用热水加热的排放，分配和储存。（DIN V 18599—8 中描述）

（19）净热量输出要求的分配。（DIN V 18599—5 中描述）

（20）净冷量输出要求的分配。（DIN V 18599—7 中描述）

（21）发生在制冷过程中的损失。（DIN V 18599—5 中描述）

（22）发生在水蒸气产生过程中的损失。（DIN V 18599—5 中描述）

（23）热能产生损失的确定。（在 DIN V 18599—5，DIN V 18599—6，DIN V 18599—8，DIN V 18599—9，DIN V 18599—7 中描述）

（24）辅助能量形式汇总。（在 DIN V 18599—3 和 DIN V 18599—6 中描述）

封面设计：樊　嵘

(16836)定价：**10.00**元

建筑节能智能化
技术导则
（试 行）

JIANZHU JIENENG

ZHINENGHUA

JISHU DAOZE

中国建筑业协会智能建筑专业委员会
建设部科技委智能建筑技术开发推广中心　主编

中国建筑工业出版社